脑筋急转弯

趣问妙答篇

玉欣◇主编

北方妇女儿童出版社

图书在版编目（CIP）数据

脑筋急转弯. 趣问妙答篇 / 玉欣主编. —长春：北方妇
女儿童出版社，2009

ISBN 978-7-5385-3885-4

Ⅰ. 脑… Ⅱ. 玉… Ⅲ. 智力游戏 – 少年读物 Ⅳ. G898.2

中国版本图书馆 CIP 数据核字（2009）第 064049 号

脑筋急转弯——趣问妙答篇

出 版 者	北方妇女儿童出版社
策 划	刘 刚
主 编	玉 欣
责任编辑	赵 凯
地 址	长春市人民大街 4646 号　邮编 130021
	电话 0431 － 85640624
经 销	全国新华书店
印 刷	黄冈市新华印刷有限责任公司
开 本	880mm × 1230 mm　　1/32
印 张	3
版 次	2009 年 7 月第 1 版
印 次	2015 年 12 月第 2 次印刷
书 号	ISBN 978-7-5385-3885-4
定 价	10.00 元

编者的话

思维力是孩子智力活动的核心,也是智力结构的核心,而人的智力因素都是从孩提时代开始发展的。因此,家长要想让孩子更聪明、更胜人一筹,就应从小培养孩子的思维能力。

脑筋急转弯是一种智力游戏,是儿童最喜爱的益智游戏之一,同时也是对儿童的思维能力的一种训练。它以生动活泼、易识易记的形式,诱发儿童思考,增进儿童对知识的浓烈兴趣,引导儿童打破惯有的思维模式,发挥自己的超常思维、锻炼人的幽默风趣和机智灵敏,集娱乐启智于一体,从而培养孩子们的幽默感,提高孩子们的判断力和敏捷的思维能力。

因此,这套《超级 IQ 大本营》丛书应运而生,它是特别为开发孩子们的智力、丰富孩子们的想象力、陶冶孩子们的情操量身定做的,我们通过精心筛选,编排了近千个"脑筋急转弯"智力问答题。全套书共八册,分别是:趣问妙答篇、爆笑搞怪篇、奇思妙想篇、开心一族篇、聪明绝顶篇、不可思议篇、天下无敌篇和头脑风暴篇。

本套书内容贴近日常生活，文字简洁易读，内容雅致风趣，量身定制的彩色漫画图活泼夸张，幽默诙谐，漫画中还配有相应的幽默诙谐的文字，其中加入了诸多新鲜幽默的时尚元素，这种图文并茂的完美结合，为孩子们烹制出一道精彩绝伦的幽默大餐，益智的同时让孩子们捧腹大笑，乐不可支。

　　孩子是祖国未来的花朵，提高孩子思维能力也是每个家长特别关注的问题，相信这套书，能让孩子们在紧张的挑战中取得快乐与智慧的双重收获，能让他们在智慧的国度里，插上梦想的翅膀，展翅翱翔！让我们走进这个神秘的天地，开启一扇扇智慧和奇趣的大门吧！

上帝在造人的时候，用男人的一根肋骨，就造出了女人。

xiān yǒu nán rén hái shi xiān yǒu nǚ rén
先有男人，还是先有女人？问题

1

"先生"先字在前嘛，肯定是先有男人。

先生

答案

xiān yǒu nán rén　　yīn wèi jiào xiān　shēng
先有男人，因为叫先"生"。

天哪，眼睛都花了，眼前有三个太阳在晃！

shén me shí hou huì chū xiàn sān gè
什么时候会出现三个
tài yáng zài yì qǐ
太阳在一起？

问题

3

幸亏是三个"日"字，要是真有三个太阳，我们都变成烤鱼条了。

答案

xiě gè jīng zì shì shi
写个"晶"字试试。

4

天天出海打鱼,手不光是湿的,而且还有腥味。

shén me rén de shǒu yǒng yuǎn shì shī de
什么人的手永远是湿的?

问题

我们是水手，手是湿的是常事。

答案

shuǐ shǒu
水手。

shén me shuǐ yào àn jì huà fā fàng
什么水要按计划发放？

jì rèn shi zì rán yòu néng suí biàn
既认识自然又能随便
gǎi zào zì rán de rén shì shéi ne
改造自然的人是谁呢？

9

请看我的调色板，美好的事物都出自我手里哦。

答案

huà jiā
画家。

10

xiǎo líng mǎi le yí liàng quán xīn de
小玲买了一辆全新的
pǎo chē què bù néng kāi shàng mǎ lù zhè
跑车却不能开上马路，这 问题
shì wèi shén me
是为什么？

这是最新款的玩具跑车。

zhè shì liàng wán jù pǎo chē
这是辆玩具跑车。

呵呵，女强人，
没有男人敢爱的。

shén me yàng de qiáng zhě qiān wàn bié dāng
什么样的强者千万别当？

问题

13

看过《阿里巴巴和四十大盗》的故事吗？那里面的强盗就挺可爱的啦！

答案

qiáng dào
强盗。

丈夫是个屠夫，一天他
妻子生了孩子，护士告诉他
孩子重8斤，他是怎么回答的？

问题

护士小姐，我想知道我儿子去骨后精确的重量。

带骨吗？

答案

dài gǔ hái shi qù gǔ
带骨还是去骨。

16

古代时，杯子都是用木头做的，所以就一直沿用至今。

bō lí bēi shì bō lí zuò de wèi
玻璃杯是玻璃做的，为

shén me bēi zì yào jiā mù zì páng
什么"杯"字要加"木"字旁？

问题

17

杯子可不是木头做的。

答案

yǒu mù hái yǒu gè bù
有"木"还有个"不"，

shuō míng bú shì mù tou zuò de la
说明不是木头做的啦！

有蚊帐了，当然没有蚊子咬了。

　　　　mēi lì de gōng zhǔ jié hūn yǐ hòu jiù
　　美丽的公主结婚以后就
bú pà wén zi yǎo le　　nǐ zhī dào wèi shén
不怕蚊子咬了，你知道为什
me ma
么吗？

19

亲爱的，我太感动了！

宝贝，等我把蚊子吃完了，你再来睡啊！

答案

yīn wèi tā jià gěi le qīng wā wáng
因为她嫁给了青蛙王
zǐ qīng wā chī wén zi
子，青蛙吃蚊子。

ā kē de péng you shì yí wèi chū sè
阿柯的朋友是一位出色

de xiǎo shuō jiā   wèi shén me yǒu yí cì tā
的小说家，为什么有一次他

xiě le yí gè yuè lián yì piān xiǎo shuō de
写了一个月，连一篇小说的

tí mù dōu méi xiě chū lái
题目都没写出来？

21

形散而神不散。

答案

tā xiě de shì sǎn wén
他写的是散文！

鱼含有丰富的蛋
白质、维生素 A 和
维生素 D，可以预
防近视。

yǒu rén shuō chī yú kě yǐ bì miǎn jìn
有人说吃鱼可以避免近
shì wèi shén me zhè me shuō ne
视，为什么这么说呢？

问题

猫博士,你的眼睛保护得真好,都没近视!

答案

nán dào nǐ jiàn guo māo dài yǎn jìng ma
难道你见过猫戴眼镜吗?

24

贵妃娘娘，
太美了。

zì jǐ méi yǒu shēng hái zi yě méi
自己没有生孩子，也没
yǒu lǐng yǎng hái zi què dāng shàng le niáng
有领养孩子，却当上了娘，
nǐ zhī dào zhè ge rén shì shéi ma
你知道这个人是谁吗？

问题

25

啊，新娘子是世间最漂亮的女人。

神仙姐姐从来都不看病的，她们永远都貌美如花。

nǐ zhī dào shén me rén shēng bìng cóng lái
你知道什么人生病从来

bú kàn yī shēng ma
不看医生吗？

问题

27

máng rén

盲人。

nǐ zhī dào gài lóu yào cóng dì jǐ céng
你 知 道 盖 楼 要 从 第 几 层

kāi shǐ gài ma
开 始 盖 吗？

电梯上写的都是从-1楼开始的。

cóng dì jī kāi shǐ
从地基开始。

留卷发的音乐家才吸引人。

bèi duō fēn duì wǒ men xué wài yǔ
贝多芬对我们学外语
yǒu shén me qǐ shì
有什么启示？

问题

bèi le jiù huì duō dé fēn
背了就会多得分。

32

在我的字典里好像还没有查不到的字。

dǎ kāi kāng xī zì diǎn nǐ yǒng
打开《康熙字典》，你永
yuǎn chá bú dào de zì shì shén me
远查不到的字是什么？

问题

33

《康熙字典》有设有英文版的啊？

答案

wài guó zì
外国字。

他们都乘降
落伞了。

一架满员的飞机从万米
高空坠毁，却一个伤者也没
有，为什么呢？

问题

脑筋急转弯

从那么高的地方摔下来，不是摔死的，是被吓死的。

答案

yīn wèi méi yǒu yí gè huó zhe de
因为没有一个活着的，
dōu shuāi sǐ le
都摔死了。

36

坚持到底就是胜利！

答案

bá hé
拔河。

让我算算啊！

问题

háng chuán de biān shang guà zhe ruǎn tī
航船的边上挂着软梯，
lí hǎi miàn liǎng mǐ　hǎi shuǐ měi xiǎo shí shàng
离海面两米，海水每小时上
zhǎng bàn mǐ　nà hǎi shuǐ jǐ gè xiǎo shí néng
涨半米，那海水几个小时能
yān mò ruǎn tī ne
淹没软梯呢？

是山药吧！用它煲汤很有营养的。

yǒu yì zhǒng yào　　yào diàn mǎi bú dào
有一种药，药店买不到，

què hěn róng yì chī dào　　nǐ zhī dào shì shén
却很容易吃到，你知道是什

me yào ma
么药吗？

问题

脑筋急转弯

我好后悔娶了你，可惜没有后悔药吃。

答案

hòu huǐ yào

后悔药。

哈哈，上街看到的全是名人啊！

rú guǒ shī rén dù fǔ hái huó zhe de
如果诗人杜甫还活着的
huà shì jiè jiāng huì yǒu shén me bù tóng ne
话，世界将会有什么不同呢？ 问题

脑筋急转弯

地球村住不下了，请搬到月球上去住吧。

答案

shì jiè shang jiāng huì duō yí gè rén
世界上将会多一个人。

shén me guāng huì gěi rén dài lái tòng kǔ
什么"光"会给人带来痛苦？

45

逛街时不要东张西望。

哦,下回不敢了。

ěr guāng
耳光。

46

呵呵，当然是我们骑兵连人多，除了骑兵，还有我们驯马师！

答案

dà lián
大连。

瞧！我的耳朵多像字母"B"，每个人都用它来听美妙的声音！

shén me yīng wén zì mǔ zuì duō rén
什么英文字母最多人
xǐ huan tīng ya
喜欢听呀？

问题

 答案

CD。

坐电梯的时候，一个电梯有上去的人，另一个电梯有下来的人。

yǒu yì zhǒng dōng xi shàngshēng de tóng
有一种东西，上升的同
shí huì xià jiàng xià jiàng de tóng shí huì shàng
时会下降，下降的同时会上
shēng zhè shì wèi shén me
升，这是为什么？

qiāo qiāo bǎn
跷跷板。

人家都说我是闭月羞花，沉鱼落雁，倾国倾城。

qīng guó qīng chéng zhī mào jù tǐ de
倾国倾城之貌具体地
shuō xiàng shén me yàng zi
说像什么样子？

问题

53

答案

dà dì zhèn hòu de yàng zi
大地震后的样子。

54

脑筋急转弯

这回没作弊，原形毕露了！哈哈……

没有作弊!!!

答案

tā jué duì méi yǒu zuò bì
他绝对没有作弊。

56

老师叫小朋友画一只小鸟，但小栓却交了张白纸，他对老师说了一句话，老师就笑了。他说了一句什么话呢？

问题

老师，小鸟出去玩了。

xiǎo shuān shuō　　wǒ de xiǎo niǎo fēi zǒu
小栓说：我的小鸟飞走

la
啦！

亲爱的，我送你一颗24K的钻戒，请你高抬贵手，我帮你带上。

问题

zài shén me qíng kuàng xià　nǐ zuì hǎo
在什么情况下，你最好

gāo tái guì shǒu
高抬贵手？

不许动，举起手来！

答案

bié ren yòng qiāng zhǐ zhe nǐ de shí
别人用枪指着你的时
hou
候。

沟通如此简单。

看我多有语言天赋啊！

<pí pi xué le yí gè yuè jiù néng hé>
皮皮学了一个月就能和
<wài guó rén zì yóu jiāo tán　wèi shén me>
外国人自由交谈，为什么？

问题

61

我会说中国话。

你好

答案

yīn wèi wài guó rén shuō zhōng guó huà
因为外国人说中国话。

问题

wū guī hé tù zi yòu sài pǎo le
乌龟和兔子又赛跑了，
zhè cì tù zi méi yǒu tōu lǎn tān wán
这次兔子没有偷懒、贪玩，
dàn shì tù zi hái shi shū le wèi shén me
但是兔子还是输了。为什么？

救命啦，我不会游泳啊。

答案

wū guī bǎ zhōng diǎn shè dào le hǎi li
乌龟把终点设到了海里！

yǒu dòng lóu fáng sì miàn chuāng hu dōu cháo
有栋楼房四面窗户都朝

nán qǐng wèn tā jiàn zài nǎ lǐ
南，请问它建在哪里。

问题

65

答案

bĕi jí
北极！

买一赠一。

ā xīng guò shí sān suì de shēng rì
阿星过十三岁的生日，
wèi shén me zhuō zi shang yǒu shí sì gēn là
为什么桌子上有十四根蜡
zhú ne
烛呢？

问题

yīn wèi tíng diàn   yǒu yì gēn là zhú
因为停电，有一根蜡烛

shì zhào míng yòng de
答案 是照明用的。

书呆子视书如命。

shén me rén hé shū zài yì qǐ de shí
什么人和书在一起的时
jiān zuì cháng
间最长？

问题

69

哈哈，原来历史人物与日月同在，名垂千古。

答案

lì shǐ rén wù
历史人物。

71

哎哟,差点把我摔成脑震荡啊!

答案

liǎng zhǐ jiǎo dōu cǎi dào le
两只脚都踩到了!

嘿嘿，只是想一下，没有行动的。

答案

xiǎng yí xià bú yào qián
想一下，不要钱。

呵呵，最近在戒烟，只是拿根烟放在嘴上，不点着。

jù chǎng nèi jìn zhǐ xī yān zài jù qíng
剧场内禁止吸烟，在剧情
dào zuì jīng cǎi shí jìng yǒu yì nán zi xī
到最精彩时，竟有一男子吸
qǐ yān lái dàn rèn hé yí gè guān zhòng dōu
起烟来，但任何一个观众都
bú kàng yì wèi shén me
不抗议，为什么？

问题

抽烟有碍身体健康。

答案

yīn wèi tā shì yǎn yuán
因为他是演员。

yí duì jiàn kāng de fū fù   shēng le
一 对 健 康 的 夫 妇 ， 生 了

sān gè hái zi   kě zhè sān gè hái zi
三 个 孩 子 ， 可 这 三 个 孩 子

dōu zhǐ yǒu yì zhī zuǒ shǒu   wèi shén me ne
都 只 有 一 只 左 手 ， 为 什 么 呢 ？

问题

孩子都只有一只左手啊，要是有两只左手那不成怪物了。

答案

yīn wèi měi gè rén dōu zhǐ yǒu yì
因为每个人都只有一
zhǐ zuǒ shǒu hé yì zhǐ yòu shǒu
只左手和一只右手。

哈哈，太搞笑了，这老虎竟然没有牙齿和爪子，看你往哪里跑？

问题

打虎先要去景阳冈上喝三碗酒，热热身，壮壮胆才上山打虎。

答案

kàn nǐ yǒu méi yǒu dǎn
看你有没有"胆"。

问题

bà ba wèn xiǎo nán　　shén me dōng xi zhǎng
爸爸问小楠，什么东西长
mǎn piào liang de　yǔ máo　　yòu měi tiān zǎo chen
满漂亮的羽毛，又每天早晨
jiào nǐ qǐ chuáng　xiǎo nán cāi duì le　　dàn
叫你起床？小楠猜对了，但
què bú shì jī　　shì shén me ne
却不是鸡，是什么呢？

为什么用它打我呢？好疼的。

答案

jī máo dǎn zi
鸡毛掸子。

求求菩萨，一定要让我考及格啊，不然这个月就没有零花钱了。

xià xīng yào kǎo yīng wén   tā shàng shān
夏星要考英文，他上山
qiú pú sà bǎo yòu tā   dàn wèi shén me hái
求菩萨保佑他，但为什么还
shì kǎo zá le
是考砸了？

问题

我是东方人，不会说英文。

答案

yīn wèi pú sà bù dǒng yīng wén
因为菩萨不懂英文！

难道是多长了一块吗？

207

老师说我们人体有206块骨头，为什么阿瓜非要说他有207块？

问题

妈妈，我不小心吃了一块鸡骨头进去了，会不会得结石啊！

答案

zhōng wǔ tā bù xiǎo xīn yàn xià yí
中午他不小心咽下一
kuài jī gǔ tou
块鸡骨头！

86

我发球了，接招！

dà bǎo tiān shēng lì qi dà zài yí cì
大宝天生力气大，在一次
dǎ yǔ máo qiú shí yóu yú lì qi guò dà
打羽毛球时，由于力气过大，
qiú dǎ chū hòu gè xiǎo shí cái luò dì kě
球打出后5个小时才落地，可
néng ma
能吗？

倒霉，球落在树上了！要爬树去拿。

答案

kě néng　　yīn wèi qiú luò zài shù shang
可能，因为球落在树上

le
了！

好啊，但是得先拍结婚照。

我们结婚吧！

wèi shén me jié hūn de rén dōu yào xiān
为什么结婚的人都要先

pāi jié hūn zhào
拍结婚照？

问题

我们是不是"一拍即合"啊！哈哈……

一拍即合!!

答案

yì pāi jí hé
一拍即合。